ゼロから学ぶ DS 入門講座

データサイエンス

著
阿部晋也

株式会社 コガク
とおとうみ出版

Data Science

はじめに

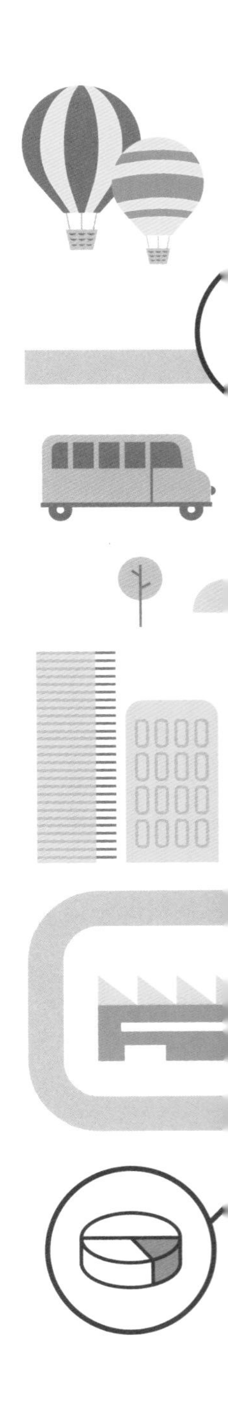

IoTの浸透、インターネットやクラウドの普及によりあらゆるもののデータ化はさらに加速しています。私たちの日常生活をデータなしで語ることはできません。その一方で、データは正しく扱い読み解かなければ、誤った結果にもつながりかねません。「データサイエンス」という言葉が昨今とくに強く叫ばれるようになったのはごく自然な現代の流れといえるでしょう。

本書では「データサイエンスって何?」という基本から、データの見方・種類・可視化などの基本的な考え方、データの活用手法など、データサイエンスの概要を解説します。難解な数式は用いず、あくまでデータサイエンスのイメージが掴める内容に留めることで入門レベルの学習者が取り組みやすいようにしています。

データリテラシーを身につけ正しくデータを読み解き、新たな価値を創造するための第一歩を踏み出しましょう!

目次

はじめに …… 2
本書の使い方 …… 6

第1章 データサイエンスのこと知っていますか？
1-1 私たちの日常生活にあふれているデータ …… 12
1-2 データサイエンスとは …… 16
1-3 データサイエンティストの仕事 …… 18
まとめ 第1章の振り返り …… 24

第2章 データの見方
2-1 平均というトラップ～正しい視点で見る …… 28
2-2 分散を考える …… 30
2-3 幅広い視点でみる …… 36
まとめ 第2章の振り返り …… 38

第3章 データの種類
3-1 量的データと質的データ …… 42
3-2 構造化データと非構造化データ …… 46
3-3 外れ値や異常値 …… 50
まとめ 第3章の振り返り …… 54

第4章 データの可視化
4-1 可視化の意味 …… 58
4-2 量的データの表し方 …… 60
4-3 質的データの表し方 …… 62
4-4 分布の表し方 …… 64
4-5 時系列データの表し方 …… 66
まとめ 第4章の振り返り …… 68

第5章 データの活用

5-1 回帰分析 …… 72
5-2 クラスタリング …… 78
まとめ 第5章の振り返り …… 80

第6章 データを制する者が DX を制す

6-1 AI とデータサイエンス …… 84
6-2 ビッグデータとデータサイエンス …… 87
6-3 業界で求められているデータリテラシー …… 90
まとめ 第6章の振り返り …… 95

ワークシート …… 96
解答一覧 …… 98
索引 …… 102

本書の使い方

本書はeラーニング「ゼロから学ぶデータサイエンス入門講座」(※)の講義をリアルに紙面上で再現しました。講義の臨場感を感じられるよう、できるだけ講師の言葉をそのままにお届けしています。

本書の特長として、「ワークブックテキスト」としてお使い頂けます。基本的な知識習得・理解をするための「テキスト」としての側面と、手を動かしてその学びを定着させる「ワークブック」としての二つの側面を持っています。ただ読むだけのテキストではなく、解いたら終わりのワークブックでもなく、その両方の機能を備えたのが「ワークブックテキスト」です。

まずはテキストを読んで基礎学習を進め大まかな流れを掴んでください。次に、本文随所に設けられた空欄を埋めるワークとして、キーワードを自分自身で書き込んでください。「ゼロから学ぶデータサイエンス入門講座」のeラーニング動画(※)を視聴して講師の説明を聞き取る方法もありますし、自分自身で書籍やネット等を使い調べる方法もあるでしょう。空欄に当てはまる正解は巻末に掲載していますので、答え合わせをしてみてください。空欄が埋まり文章が完成されれば、完全版のテキストが出来上がります。完成したテキストを繰り返し読むことでさらに理解を深めてください。

自分自身で読んだり、見聞きしたり、調べたり、そして手を動かして書いて、さらには正解かどうかを確認したり…と、様々な感覚を用いて「体験」することで、ただ読むだけでは得られない学習効果を得ることができるでしょう。テキストを「あなたが作り上げる」、そんなイメージで取り組んでみてください。

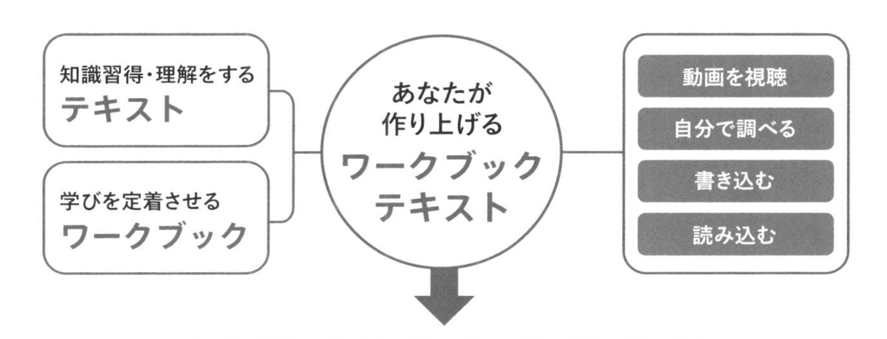

確実に身に付く!!

※ eラーニングの申込先…https://www.cogaku.co.jp

第1章 データサイエンスのこと知っていますか?

皆さんこんにちは。ゼロから学ぶデータサイエンス入門講座をお送りします。講師を担当させていただきます阿部晋也と申します。どうぞよろしくお願いいたします。

1章では、「データサイエンスのこと知っていますか？」として、最近このデータ分析だとかデータサイエンスという言葉が少しずつ出てきたかなというふうに思いますけれども、それについて皆さんと一緒に考えていきたいと思います。

1章のポイントですけれども、日常生活には様々なデータがあふれています。データサイエンスの重要性について確認をしていきたいと思います。また、データサイエンスを職業とするデータサイエンティストのスキルだとか役割について確認をしていきましょう。

POINT

- 日常生活にはデータがあふれ、データサイエンスの重要性が高まっています
- データサイエンティストのスキルや役割を理解しましょう

1-1

私たちの日常生活にあふれているデータ

私達の日常生活というのは様々なデータがあふれています。コンピューターだとかスマートフォンでいろんなデータをやりとりしていると思いますよね。SNSでいろいろ発信しているという人もいるかもしれないですしExcelか何か使ってデータ分析しているという人もいるかもしれませんね。

また、ネットワークも昔に比べるとすごく高速な通信ができるようになってきました。さらに、人々の行動の履歴だとか購入の履歴、様々なデータというのが蓄積されているというような形で、落ち着いて考えてみると「そう言われればいろんなデータがあふれているな」といったところがわかるかなと思います。

この日常生活のデータというのはいろいろ役に立っていて、私達の行動のアシストをしてくれているんですね。

さまざまな
データ達
購入履歴
行動履歴
SNS

図1.1　Twitterのつぶやきを分析して運営の参考に

例えば通信会社ですけれども、Twitterで投稿されたつぶやきというのを分析して運営の参考にしていたりするわけですね。図1.1で例えば「Xエリアは全然通話できなくなっちゃったよ」だとか、「Xエリアにいるけれどもネットは全然駄目だ」というようなつぶやきがいくつかあるわけですね。そこからそのデータというのを直接拾うというようなことは勿論するんですけれども、加工して、例えば「Xエリア」という言葉を出したりだとか、「通話不良」という言葉を出したり、また「ネットに繋がらない」というようなキーワードを出して、そこから「Xエリアはどうも何か悪いようだ」、「Xエリアの基地局を改善した方が繋がりやすくなるんじゃないか」といったことを確認していくわけなんですね。

こういうような事例のようにインターネットだとかクラウドコンピューティング、またはいろんなセンサーとインターネットが繋がるいわゆる（① ）といったものが浸透したことによって、データを素早く大量にいろいろ収集することができるようになりました。その中でデータサイエンスの重要性が高まってきました。

1-2

データサイエンスとは

データサイエンスというのはデータとサイエンスをくっつけたものというような形で、両方とものいろんな性質が含まれているということになります。

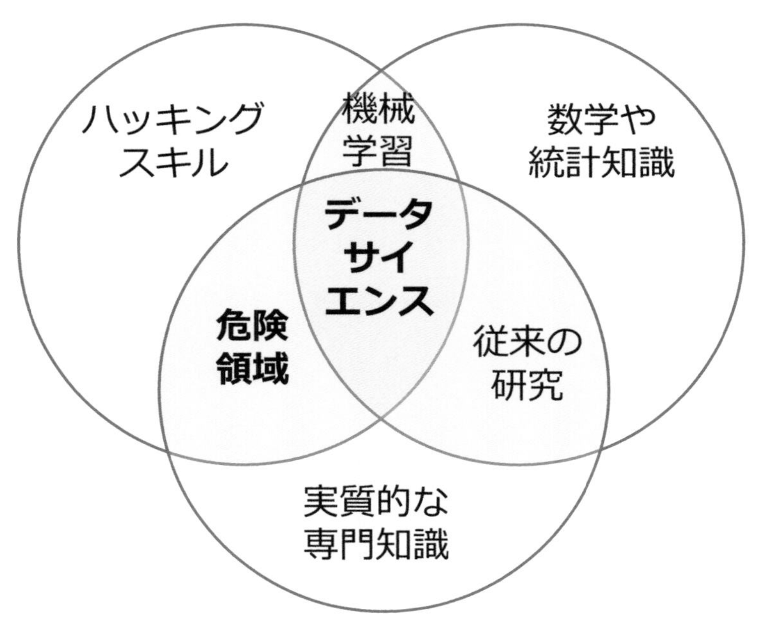

図1.2　ドリュー・コンウェイのベン図

有名なものにドリュー・コンウェイのベン図ということで、図1.2のようないろんな要素があるといったものを表した図があるんですけれども、例えばこの方は二つだけを組み合わせた場合最悪データサイエンスではなくて危険になる可能性があるという意味が含まれていると、こういうふうに言ってるわけです。つまりデータの(② 　　　　　　　　)だとかという嘘となる可能性があるというふうに言っているわけなんですね。

ですから単純にデータ分析をするというわけではなくて、ちゃんとしたことをやらないとデータなんか作っちゃうというような危険性もあるということを言っているわけなんですね。その中でデータサイエンティストという職業といったものが生まれてきています。

1-3

データサイエンティストの仕事

ちょっと間違えれば数学とかできる人なんか捏造とかになってしまうので、そうではなくてデータサイエンス自体に総合的な取り組みというのが必要になってきます。データ自体の本質を理解して、(③　　　　　　　　　)するためにいろんなスキルが必要になってくる、その中で、データサイエンティストというような職業が注目されています。

　一般社団法人データサイエンティスト協会ではデータサイエンティストのスキルセットといったものが定義されていますのでそれを確認してみましょう。（図1.3）

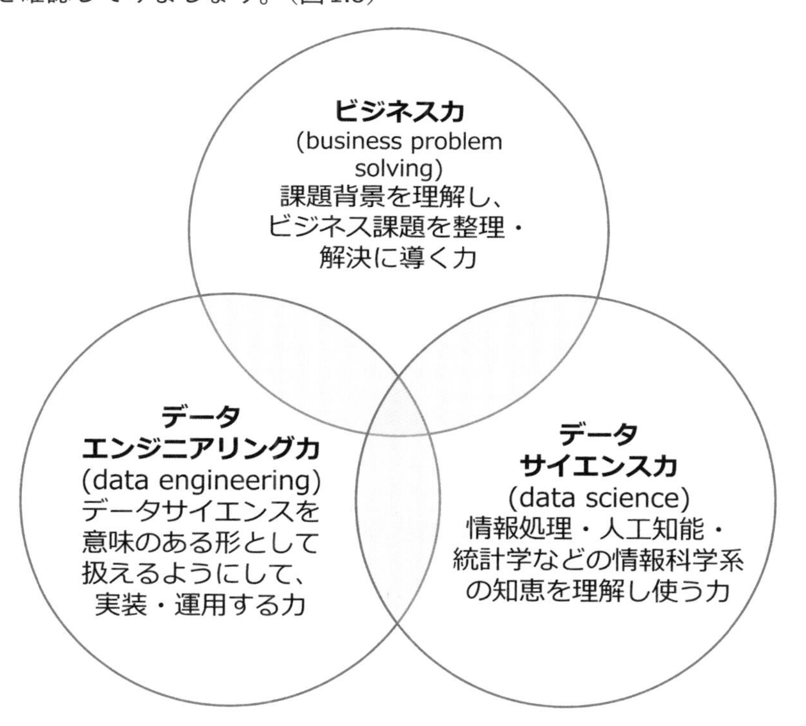

【出典】一般社団法人データサイエンティスト協会・独立行政法人情報処理推進機構
「データサイエンティストのためのスキルチェックリスト/タスクリスト概説（第二版）」

図1.3　データサイエンティストのスキルセット

データサイエンティストのスキルセットではどういったものがあるかですけれども、まずビジネス力というものが必要です。つまり課題の背景を理解する必要性があります。

もう一つはデータエンジニアリング力ですね。データサイエンスを意味がある形に捉えていく(意味のある形として扱えるようにして実装・運用する)。

あとはデータサイエンス力。情報処理だとか人工知能だとか、こういうような知識を統合する。

こういったような三つの要素が必要だというふうに言われています。

その中でデータサイエンティストの役割といったところを確認していきたいと思います。

- **解決したい課題への向き合い方を提示**する
- **データに対する向き合い方を提示**する
- **アルゴリズムの選定**や**モデルの構築**
- データの**分析結果に対する評価**
- **新しい技術や解法**へ取り組む

図1.4　データサイエンティストの役割

データサイエンティストにはどのような役割があるかということなんですが、例えば単純にデータを統計学的に何かやればいいでしょうという話ではないんですよ。データサイエンティストというのは問題解決をして、それが評価に繋がっていくわけなんですね。したがって「(④　　　　　　　　　　)」、こういったことが大事になってきます。

また、データに対してどういうふうに加工したらいいかどうか(向き合い方)といったところもチェックをしていくということになってきます。

また、図1.4にアルゴリズムの選定やモデルの構築と書いてありますけれども、アルゴリズムというのはここでは分析の方法というふうに考えていただければ結構です。分析の方法にはどういった方法がいいのかを選定をしていく。例えば何か予測をするというようなことであれば、一つの予測するための仕組み＝ロジック、このロジックのことをここではモデルというふうに呼んでいるんですけれども、そのモデルを作っていくといったところが仕事になります。

さらには分析結果に対しての評価というようなことになってくるわけなんですね。

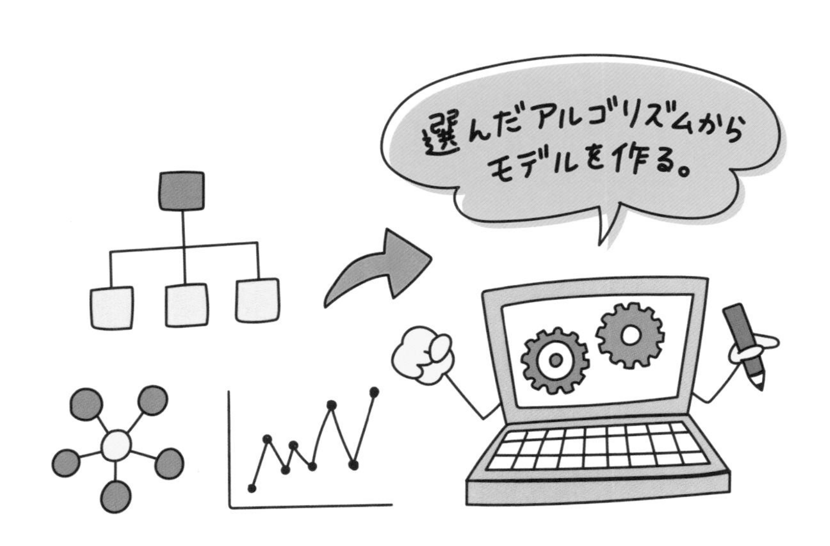

研究分野でもデータサイエンティストというような職業はあるわけなんですけれども、データ分析の研究になってくると新しい技術に取り組んでいくといったところが必要になってくるんですが、実務では先ほど申し上げたように課題解決がポイントになってくるので、データを分析していって何かこういうような指針があるんじゃないかといったところを出すことがポイントになってくるわけですね。

「そういうような見方があったのか」と思ってもらえることに、データサイエンティストの価値があるというようなことになります。これは今回の講座でも一つポイントになってくるところで、単純にデータを分析すればいいというわけではなくて、何度も申し上げますが、どういうふうに使っていくのか・どういうような問題が解決できるのかがポイントになります。

MEMO

1章のまとめですけれども、日常生活ではデータがあふれていてデータサイエンスの重要性が高まっています。それはなぜか、なぜそうなったかというと、インターネットだとか（⑤　　　　　　　　）の技術を使ってデータを素早く入手できるようになったからです。一方で、データを正確に解釈する必要性というのも出てきています。

また、データサイエンティストのスキルや役割を確認していきましたが、これは単なる統計学ではないですよということ、これが本当に大切です。「統計ですよね？」で終わってしまうと駄目なんですね。なのでビジネスでは「意味のあるデータと捉えるためのスキル」というふうに考えていただきたいと思います。

第1章の振り返り

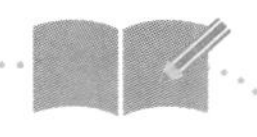

日常生活にはデータがあふれ、データサイエンスの重要性が高まっています

インターネットやクラウドなどが普及し、データをすばやく入手できるようになりました。
一方、データを正確に解釈する必要性もでてきました。

データサイエンティストのスキルや役割を理解しましょう

単なる統計学ではありません。ビジネスや意味があるデータと捉えるためのスキルも必要です。

第2章 データの見方

それでは2章「データの見方」について解説をしていきます。

この章では、そのデータは意味があるデータなのか、データを正しく見ないと間違った判断になってしまうよといったところを確認していきます。

幅広い視点で捉えるということはデータサイエンスに限らずいろんな方面で、仕事の面で、重要になってきます。

POINT

- そのデータは意味があるデータか、データを正しく見ないと間違った判断になってしまいます
- 幅広い視点で捉えることは、データサイエンスに限らず、多方面で重要になります

ほんとに正しい？

2-1

平均というトラップ ～正しい視点で見る

表2.1に今ご覧いただいているデータはテストの得点と考えてください。

出席番号	A組	B組
1	71	63
2	80	81
3	89	94
4	71	69
5	89	89
6	89	92
7	80	79
8	80	80
9	71	73
平均	**80**	**80**

表2.1　どちらの組の成績が良い？

データサイエンスの第一歩は（①　　　　　　　　　　　）を知るということです。何かの統計値のデータを計算すればいいというわけではなくて、どういうふうにデータを見ているのかといったところが大切になってきます。

この二つのデータというのはどちらも同じ平均点になっています。平均点80点なんですけれども、この二つのクラスの結果の得点というのはこれで問題ない、同じ平均点だからA組もB組も大丈夫だったねと言えるでしょうか？という話なんですよね。ここがデータサイエンスの第一歩となります。

2-2

分散を考える

これを確認してみるということなんですけれども、データサイエンスの知識があれば平均だけではなくて、(②　　　　　　　　　　)という統計値も計算してみようといったことがわかります。実際に分散を計算してみると両者は異なる結果になります。

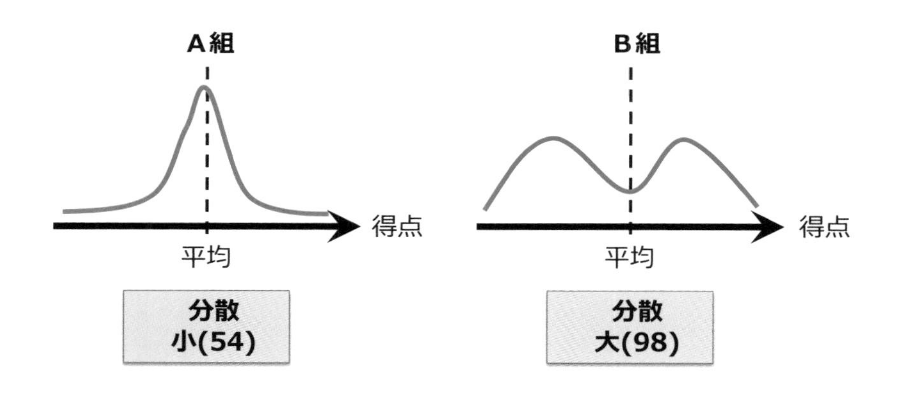

図2.1　分散を計算して、比較する

実際に計算すると、A組の分散というのは54という数字になってB組は98になるということなんですね。

そうすると、この分散（ちらばり・ばらつき具合）という統計値が、A組の方が平均に対して寄っているということになります。

分散が大きいと平均から離れているということです。平均から離れているということはどういうことかというと、A組に比べるとB組の成績は、できていない人とできている人というのが離れているというような形になります。つまり、いわゆる二極化しているということがこの分散のところからおおよそわかるわけなんですね。

なので、例えばいろんなテストとかを集計するときに、やっぱり平均だけじゃなくて分散という値もとるんです。そうすると、ここはできている人とできていない人というのが離れているんだなといったところがわかるわけなんですね。一つのそのデータ・分散だけとって「離れているよね」ということもわかるんですけども、それをさらに別のクラスと比較してみて、「あれ？こっちのクラスは平均に寄っているけど、私のクラスの方は離れているね」と比較に使ったりだとか、そういうこともやっていきます。

実際ここのところを計算してみようということなんですが、平均を求めるのは大丈夫でしょうかね？全部のデータを足して個数で割ってあげるという形です。

それでは分散という値を計算してみましょう。ここではデータを簡単にするために三つだけにしていきます。成績・テストのデータが71、80、89と三つがあったと考えてください。

■ **平均**

データが71, 80, 89 だとすると、平均は、

$(71+80+89)\div 3=80$ となる。

■ **分散**

分散をsとすると、 $s = \frac{1}{n}\sum_{i=1}^{n}(x_i - 平均)^2$ となる。

データが71, 80, 89だとすると、

$$\frac{(71-80)^2+(80-80)^2+(89-80)^2}{3}=54$$

となる。よって分散は54となる。

図2.2 分散を計算してみよう

そうすると、平均は皆さんどうですか、いいですか？ 71と80と89を足してあげて、3で割ってあげると80というような結果になります。これで平均が求まりました。

分散を考えていきたいと思いますけれども、分散というのはデータのばらつきでした。（図2.2）分散をsと置くと、ちょっと難しい数学の式が出ていますが少しずつ噛み砕いていくと、$\frac{1}{n}$と書いてあります。つまりデータがnで、n個のデータがあったときですから、nで割るということです。今回は、3で割るというような形になります。

それで、Σという記号があります。Σという記号は「全てを足しなさい」というような記号になります。$\sum_{i=1}^{n}$と書いてあります。そうすると、iというところに1からn個までという形になりますね。今回はデータが3個ありますので、nのところには3となります。

（x_i －平均）と書いてありますけれども、このiのところに1、2、…nまでというような形になるわけなんですね。nという数字のところまで入ります。今回は3個しかありませんので、3まで入っていくという形です。それから平均を引いたもの、これの二乗を合計するといった式が、このΣのところの全体という形になります。

これを式に表していくと、$(71-80)^2$、$(80-80)^2$、$(89-80)^2$というような形になっていきます。これを全部足しましょう。足したものから個数(3)で割ってあげると、54というふうに求めることができます。そうすると分散の値は54となりました。

実際にはExcelとかでデータ分析する場合には関数を使って求めていきますし、Python(プログラミング言語)を使うときにはPythonの関数だとかメソッドを使って計算していきますので、手計算で全部苦労してやらなければいけないということは実際には多分ないと思いますけれども、大体こういうような仕組みで計算してるということを押さえていただきたいと思います。

MEMO

ぼくたちが
計算しちゃいます！
Python
Excel
データ

2-3

幅広い視点でみる

平均と分散について確認をしていきましたけれども、視点を変えるといったところがデータサイエンスの分野では大切になってきます。これはやっぱり偏った見方をしていくと(③　　　　　　　　)に繋がっていかないんですね。問題解決するときというのは何かの障害があってそれに対決しているような状態になってくるので一番良い問題解決というのは創造的な解決、「こんなような方法もあったんだ！」というふうに問題解決の提案が出せるのが良いこととなります。

ここでは例えば平均なんかを求めればいいんでしょう？というようなことではなくて、分散を求めるとどうなるかを提案して、他の統計値もどうなのかということをチェックしてやっていくというのは一つの方法だったわけですね。

例えば瓶の中にジュースが入っています(図2.3)。このジュースが入っているところを「なんだ半分しか入ってないのか」というふうに考えるのか、「まだ半分も入れられるよ」と考えるのか。これは理屈じゃないですよ、確かにそういう見方も言えるけど…というふうに思った方もいらっしゃるかもしれませんが、ものの見方を変えるということはそういうことなんですよね。なので半分しか入ってないよというふうに思うのか、まだ半分も入れられる・まだジュースをいっぱい飲めるというふうに思うのかというような違いで、そういうように(④　　　　　　　　　　　　)といったところがデータサイエンスのスキルのポイントとなります。

図2.3　視点を変え、創造的な問題解決を生み出す

2章では、そのデータには意味があるのか、データを正しく見ないと間違った判断になってしまうというお話をしていきました。統計値を単に計算するということではないです。(⑤　　　　　　　　　)ということが大切です。

また、幅広い視点で捉えるというのがデータサイエンスには重要になってきます。こういう考え方は結構仕事にも活かすことができるので大事です。視点を変えて創造的な問題解決をするということがデータサイエンスになっていきますので、常識・言い方を変えると思い込みを外して、こういうような考え方があるんじゃないかということをぜひ皆さんの仕事でも活かしてもらいたいと思います。

第2章の振り返り

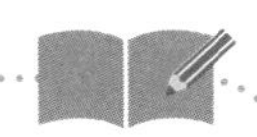

そのデータは意味があるデータか、データを正しく見ないと間違った判断になってしまいます

統計値を単に計算するだけでなく、何のための統計値なのか知ることが重要です

幅広い視点で捉えることはデータサイエンスに限らず、多方面で重要になります

視点を変え、創造的な問題解決をすることがデータサイエンスになります。常識にとらわれない見方が重要です。

第3章 データの種類

それでは3章「データの種類」について確認をしていきます。

まずこの章のポイントです。量的データとか質的データ、構造化データ、非構造化データの違いを理解していきましょう。「なんですか！このデータの種類は？」と思われるかもしれませんが、これはデータ分析・データサイエンスの分野では結構よく出てくる言葉なんです。ぜひチェックしてください。

また、外れ値や異常値などの存在を知って、データの前処理といった工程があってそこは大切だということをチェックしていただきたいと思います。

POINT

- 量的データや質的データ、構造化データや非構造化データの違いを理解しましょう
- 外れ値や異常値などの存在を知り、データの前処理という工程があることを知りましょう

動画
音楽
オフィス
データ
X
P
W
画像
テキスト
量的データ
質的データ
データの種類??
構造化データ
非構造化データ

3-1

量的データと質的データ

まず量的データと質的データなんですけれども、表3.1のように例えば賃貸の物件があったというふうに仮定してください。

物件ID	賃料	間取り	専用面積	築年数	方角	日当たり
1	50,000	1K	24	13	南	○
2	50,000	1K	28	13	北西	△
3	55,000	1K	28	15	東	◎
…	…	…	…	…	…	
99	105,000	1LDK	46	9	南	○
100	110,000	1LDK	48	12	南	◎

変数 / 個体

表3.1　データサイエンスで扱うデータを考える

そうするとこの賃貸のデータの中には、物件を管理するための物件IDみたいなナンバリングされているような番号があったりだとか、あとは賃料だとか間取りだとか専有面積だとか築年数だとか方角だとか日当たりだとかといったような様々なデータ項目があります。

これを分析するときには、データの性質ということを考えて分析をしていかないといけないんですね。一つ一つの調査される項目、例えば賃料だとか間取りだとか専有面積だとか、こういうような項目のことを（①　　　　　　　　）と呼んでいて、横の列１件１件を個体（ケース）と呼んでいます。

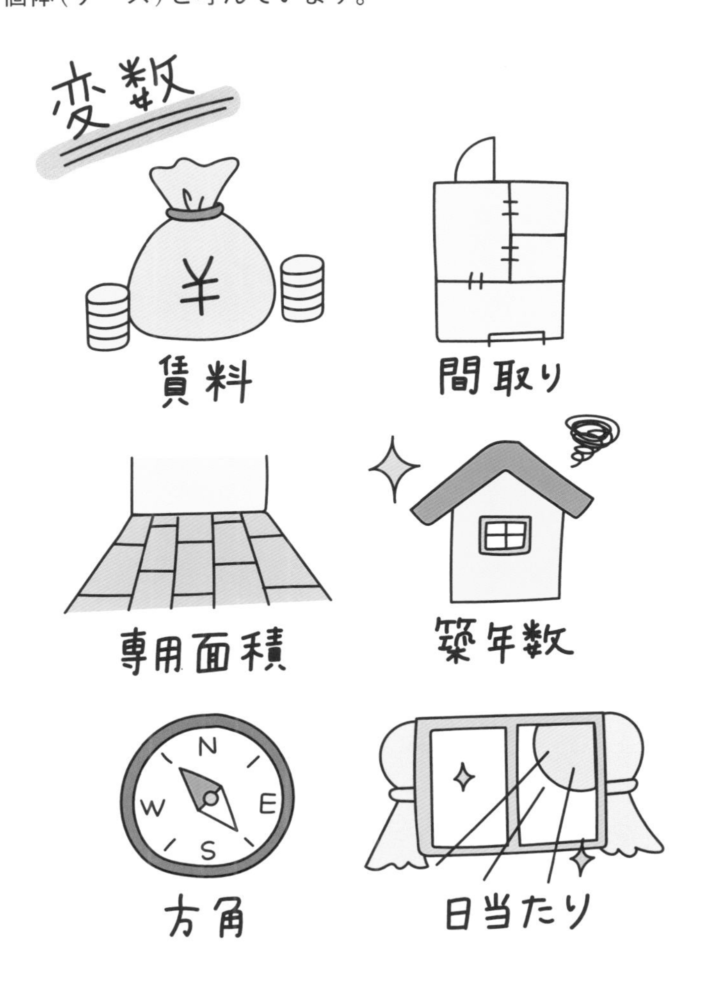

変数について見ていきましょう。

種類	特徴	例
量的データ	• 数値として意味がある • そのまま足したり引いたり演算できる	• 賃料、専有面積、築年数 • 温度や金額、身長など
質的データ	• そのまま足したり引いたり演算できない • コードに置き換えたり、分類に変換する	• 間取り、方角、日当たり • 血液型や職業、成績(優・良・可)など

表3.2　計測できるデータと計測できないデータ

変数の種類を大きく分けると、(②　　　　　　　　　　　　)と(③　　　　　　　　　　　　)に分けることができます。変数というとちょっとプログラミングの要素になってくるので難しくなってきますが、ここでは量的データだとか質的データというふうに呼んでいきます。

量的データの中には要するに数値として意味があるということで、そのままで計算することができるといったところがポイントになります。先ほどの物件の情報であれば、賃料だとか専有面積だとか築年数、また別のデータであれば温度だとか金額だとか身長だとかといったところが量的データとして考えられます。

質的データになってくると演算することはできません。なので、そのままでは用いることはできないので、例えばコードに置き換えたりだとか何かの分類に変換する必要性があります。間取りだとか方角だとか日当たりのところ、表3.1で○とか△が描いてありましたけれども、これも何かに置き換えないと計算することはできませんね。また他のデータであれば血液型だとか職業だとか成績（優・良・可）といったところも質的データとなります。

3-2

構造化データと非構造化データ

次に、先ほどの量的データだとか質的データという分け方とは別に、また違うデータの分け方があるのでチェックしていきたいと思います。

データの種類の中には、文字で読むことができるテキストデータといったものがあります。これは例えばWindowsであればメモ帳等で読むことができるといったものがテキストデータです。

一方で、音声だとか画像データのように中身が0とか1(いわゆるデジタルなデータ)で構成されていて、例えばメモ帳で読むことはできないし、たとえ読めたとしても意味がわからない、そういうようなデータのことを(④　　　　　　　　　　)というふうに呼んでいます。

このテキストデータの扱いと、バイナリデータの扱いというのは、データの性質に関わってくるところですので、チェックしておいていただけるといいかなと思いますね。

もう一つはまたちょっと違う分け方なんですけれども、構造化データと非構造化データというものがあります。

構造化データ

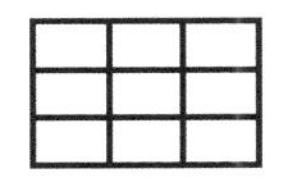

データベースシステムに
含まれるテーブルなど

非構造化データ

画像や動画データなどは
分析できるように変換する

図3.1　構造化データと非構造化データ

基本的にデータ分析するときには（⑤　　　　　　　　　　）データの方がよろしいというようなことになってくるんですね。構造化データというのは、データベースのシステムだとかに入ってるようなテーブルというようなデータの構造があるんですけども、そういうふうにデータを分析しやすくなっている（もう構造化されている、もう整形されている）データが構造化データというふうに呼ばれているものです。

一方で、非構造化データは画像データだとか動画データのように
そのままでは何も分析することができないので（⑥　　　　　　　　）
が必要になってくるといったところが、非構造化データと呼ばれる
ものになります。

システムとかによっては半構造化データと呼ばれるような種別を
しているところもあります。半構造化データというのは非構造化デー
タのうち特性を明確にするようなメタデータ（メタデータというと
ちょっとまた難しいかもしれませんが、検索しやすいようになって
いるとか、そういうふうに考えてもらえればいいかなと思います。
種別みたいなもののラベルが貼ってあるみたいな、そういうような
イメージがメタデータになります。）が含まれているものというのが
半構造化データというふうに位置づけられてるものもあります。構
造化データに対する橋渡し役的な、そういうような役割を持ってい
るのが半構造化データです。

データとしては構造化データにした方が整形されているから分析
しやすいんだけれども、一応このデータの種類というのをちゃんと
理解した上で、「これはこういうデータだからこっちに置いておこう」
という判断をちゃんとやらなければいけないということになります。

分析しやすい！
そのまま使えない
音楽
動画
画像
などなど
構造化データ
非構造化データ

3-3

外れ値や異常値

最初からきちんと整っているデータというのはあんまりないんです。私は工場のセンサーのデータを取り込んだものを可視化するというシステムを作りましたけど、生のデータを取り込むとすごい状態になって、折れ線グラフで書くとすごい状態のセンサーのデータになっちゃってるんですよね。そのまま可視化したら「なんか波がうってますね！」だけで終わってしまうんですが、それをいかに正しいデータと、これは何かセンサー的には異常かなというデータに切り分けて加工してあげる必要があります。

こういうようなことを前処理と呼んでいます。データ分析においてはこのデータの前処理が非常に重要になってきます。

前処理ではどういうことをやるかというと異常なデータを外してあげるんですが、例えば外れ値というのがあります。データの分布から外れている値というのを外します。グラフを書いてみて、明らかに外れたところにあるといったものを取り除いてあげる。要は観測ミスということもありますからね、そういうようなところが外れ値です。

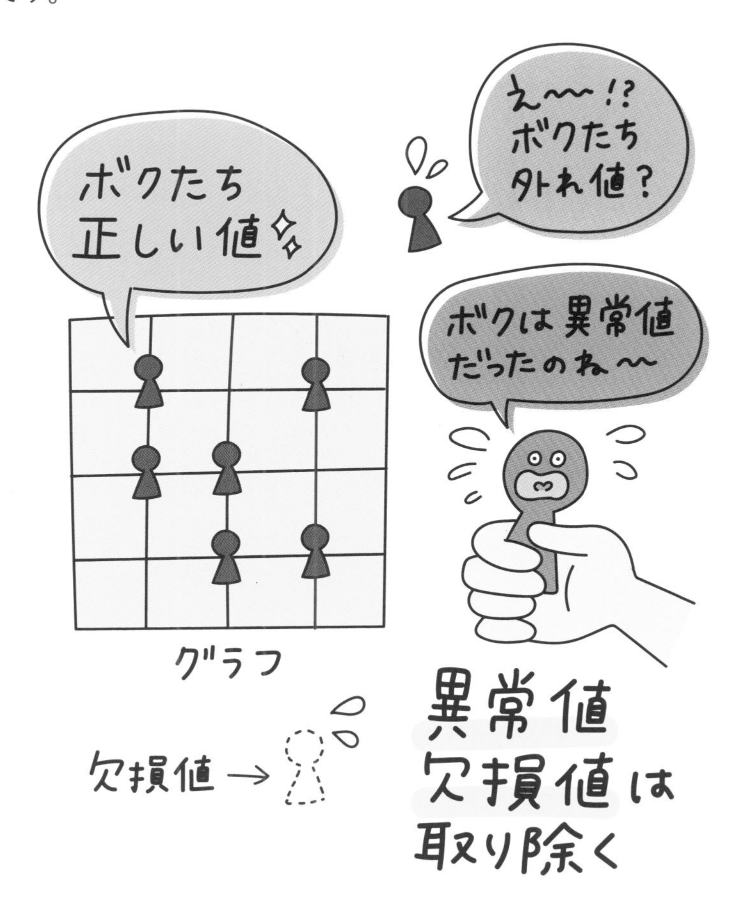

外れ値の中でも、異常値(異常値の定義はいくつかあるんですが、外れ値となったものの中でも理由があるものを異常値と呼んでいます)を外してあげます。

平熱を調査していたら、1名だけ風邪で高熱だったといったものも異常値になります。

あとは欠損値、空白。「Not a Number」というふうによく出力されたりしていますけれども、例えばこれは空白になっているからデータとしては扱えないよというようなエラーみたいなものですね。そういうような欠損値といったものも外してあげる必要性があります。

種類	特徴
外れ値	• データの分布から外れている値 • グラフで可視化して、観測ミスや記入ミスを外すほか、統計値を取り外れ値とする場合がある
異常値	• 外れ値となった理由があるものを異常値とする場合が多い • 子供の平熱を調査していたら、1名だけ風邪で高熱だった場合など
欠損値	• 空白(Not a Number)になっている値

表3.3　外れ値・異常値・欠損値

皆さんにおいては、データの前処理が必要だという工程があることをチェックしてもらえればいいなと思います。

異常値
外す!
36、4
36、6
38、0
36、5
平熱
平熱
高熱
平熱
欠損値
外す!
欠席
出席
出席
出席
こういうのを
チェックするべし!!

それでは3章のところをまとめていきましょう。データの種類はたくさんあります。量的データ、質的データ、構造化データ、非構造化データ、いろいろあります。データの性質によって手法が異なっていくので、データの性質をまずは正しく知りましょう。

また、外れ値だとか異常値のようなデータがやっぱり含まれてしまいます。なのでデータの前工程というような前処理があって、外れ値だとか異常値というのを取り除くといったことをやっていきます。実際実務で行うときには、その中にも有益なデータが含まれるという場合もありますので、相談しながら進めていくということになります。

第3章の振り返り

量的データや質的データ、構造化データや非構造化データの違いを理解しましょう

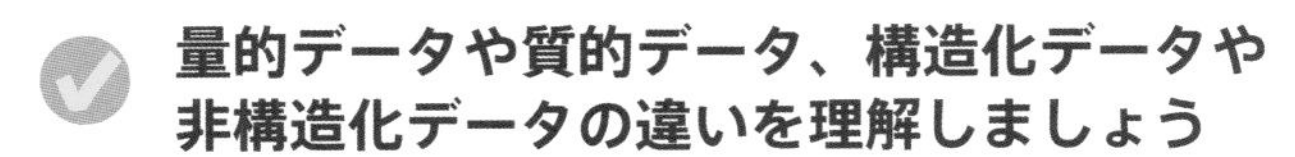

データの性質によって、分析の手法が異なります。
データの性質を正しく知りましょう。

外れ値や異常値などの存在を知り、データの前処理という工程があることを知りましょう

データの前処理こそ、データ分析では重要です。
外れ値や異常値などを意識して、具体的にどのように処理するのか相談しながら進めましょう。

Data Science

第4章 データの可視化

それでは4章「データの可視化」について確認をしていきます。

4章のポイントです。可視化の意味を知りましょう。また、適切な可視化の方法を選択することでデータが見やすくなります。

見えると、分かりやすい！

たとえば…

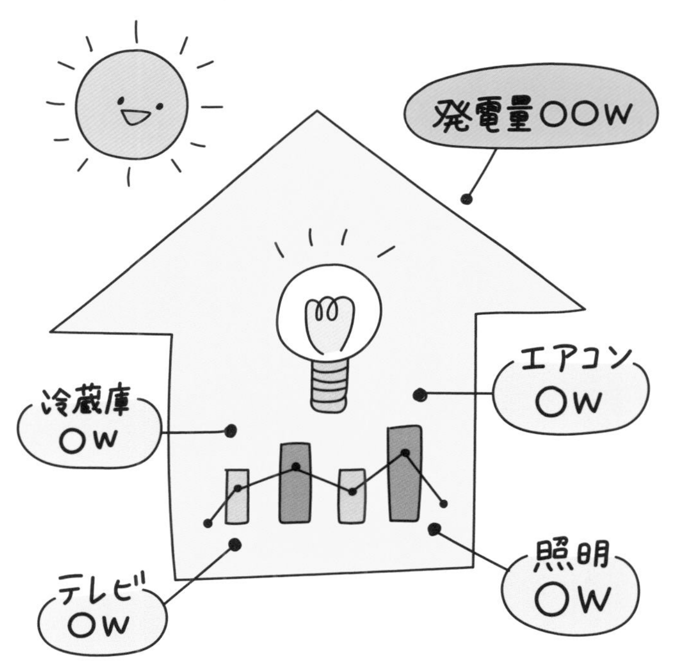

POINT

- 可視化の意味を知りましょう
- 適切な可視化の方法を選択することで、データが見やすくなります

4-1

可視化の意味

なぜ可視化をするのかというところですけども、データを集めただけでは単なる数字に過ぎません。目的に合わせていろいろ整理して例えばグラフにしたりすることで状況を的確に伝えやすくなります。図4.1は皆さん何グラフかというのはわかりますか？

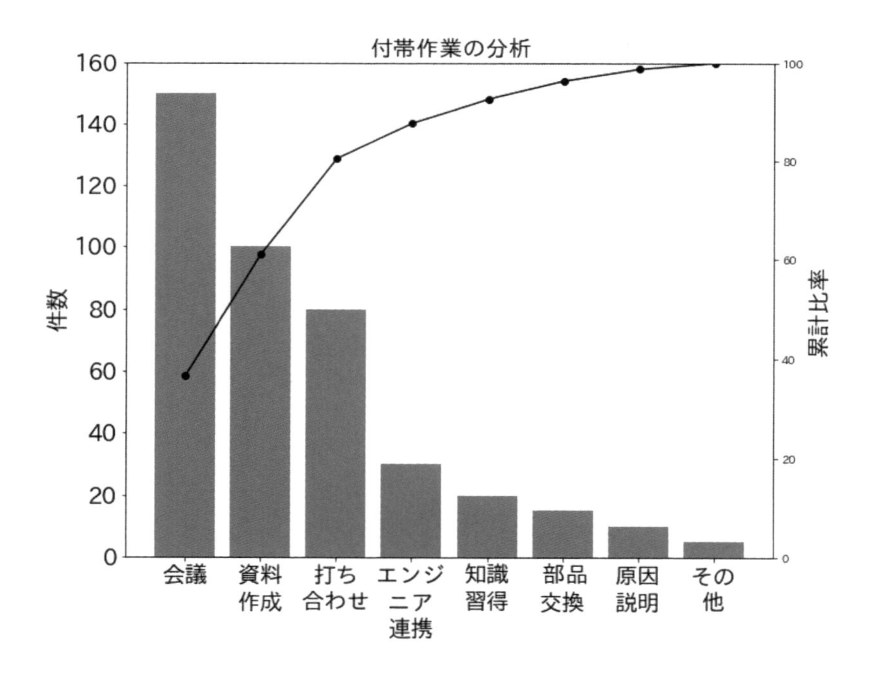

図4.1　なぜ可視化をするのか

これは(①　　　　　　　　　　)と呼ばれているグラフですよね。重要度が高い項目が左側に並んでいて、数が少ないものが右になってるという形で、折れ線は全体の累計比率を出してるというようなものになっています。

図4.1では会議が一番多くて、次に資料作成。何がこのグラフで示したいのかというと、会議だとか資料作成といったところで無駄な時間が多いよということが出したいわけなんですよね。

なので綺麗なグラフというのも勿論いいんですけれども、ただの“綺麗なグラフ”というのは意味がないので、何の目的を出したいのかがポイントになります。

よく「業務の見える化」という言葉がありますけれども、業務の見える化というのは見えるようにしただけが見える化じゃないんですよね。なのでパッと見たときに異常が早くわかるといったようなことができて初めて、見える化となります。

4-2

量的データの表し方

ではいくつかの可視化の例について確認をしていきましょう。

まずは量的データです。量的データを「演算することができるデータ」というような形でヒストグラムというものを使っていきます。データを階級（ここだとテストの点数のことを言っています。0点以上10点未満だとか、10点以上20点未満というような形）に分けています。それに対する度数、人数といったものをチェックしています。

階級(以上・未満)		度数(人)
0	10	2
10	20	3
20	30	4
30	40	4
40	50	5
50	60	6
60	70	8
70	80	5
80	90	3
90	100	2

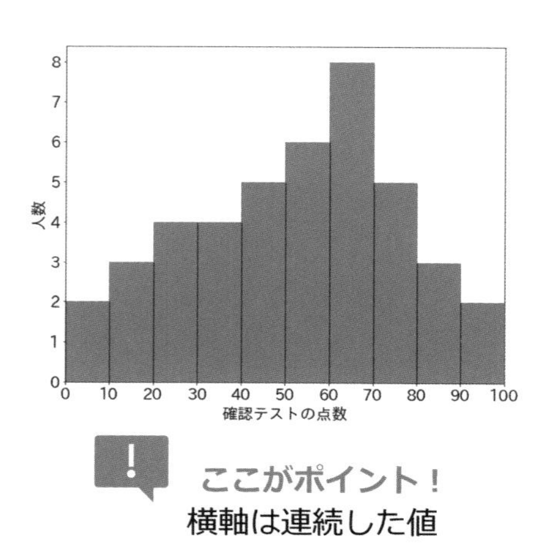

図4.2　度数分布表、ヒストグラム

こういうような度数分布表を作成して、そこからその階級ごとの人数をグラフにします。このグラフのことをヒストグラムと呼んでいます。このヒストグラムを使っていくと、横軸の10とか20のところが連続しているということがポイントで、量的データというのは「演算できて何らか計算できるように(②　　　　　　　　　　)しているデータ」なんですね。なので横軸が連続しているような表現がされているところがポイントとなります。

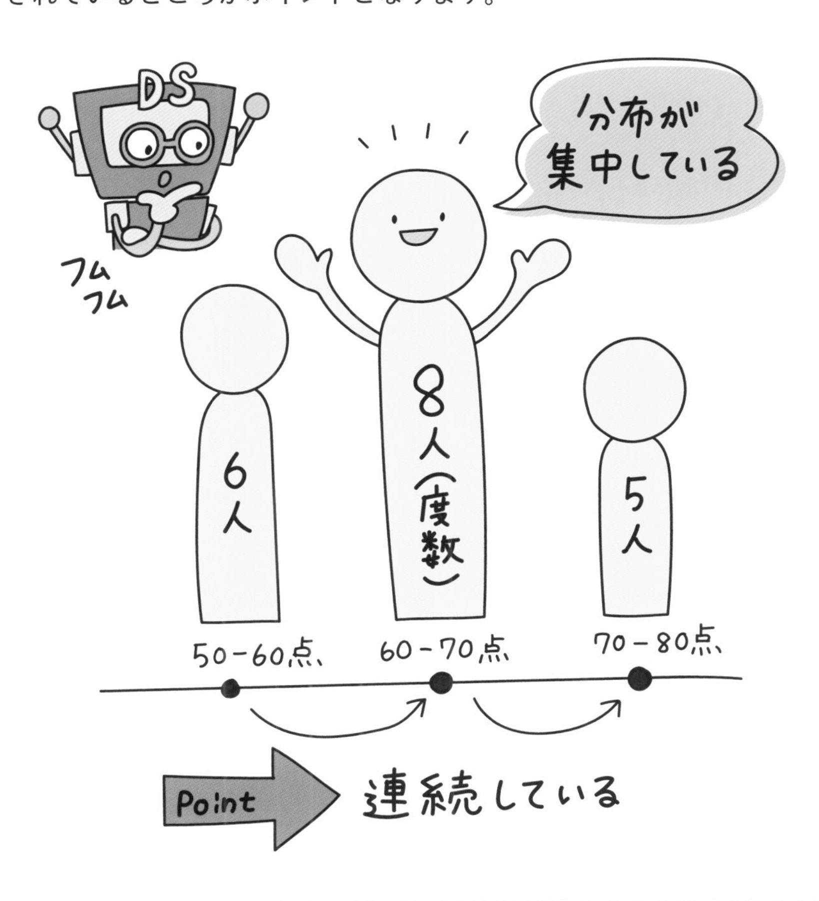

4-3

質的データの表し方

質的データの場合には、棒グラフや円グラフを使っていきます。質的データとは何だったかというと、血液型だとか職業だとか評価のように、そのままでは連続したデータではないので加工してあげなければいけないというようなものになります。

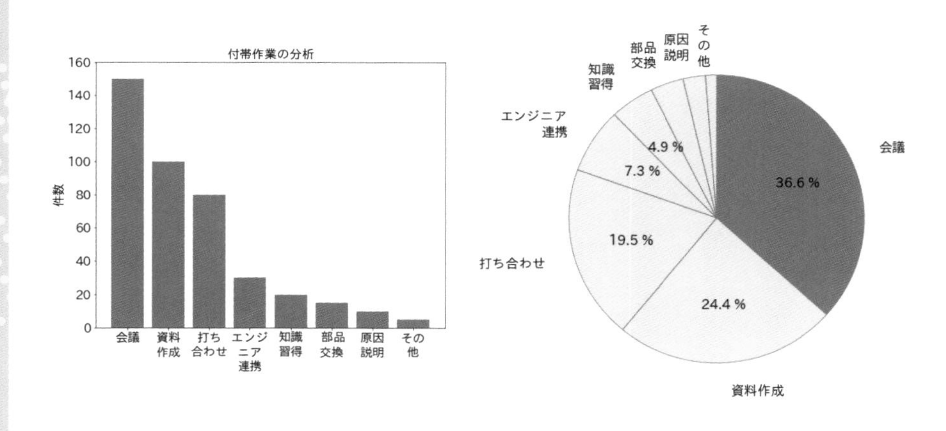

図4.3　棒グラフ・円グラフ

図4.3左側が棒グラフ、右側が円グラフですけれども、先ほどのヒストグラムのときには連続していましたが棒グラフのときはそれぞれの項目を表示しているだけですから、棒グラフと棒グラフの間は空いたような状態になっていると思います。

円グラフのところでも、会議だとか資料作成と書いてありますが(私の方で加工して会議のところだけ見やすくなっています)、質的データの場合にはこういうような円グラフで表示して、数だったりその大きさだったりということを比較できるようにしています。

4-4

分布の表し方

変数が多くなってくるとなかなか先ほどのようなグラフだとわかりづらいということがあります。

例えば、気温が上がるとアイスの販売数が上がってくるというような形の場合には(③　　　　　　　　　　　)というものを使います。

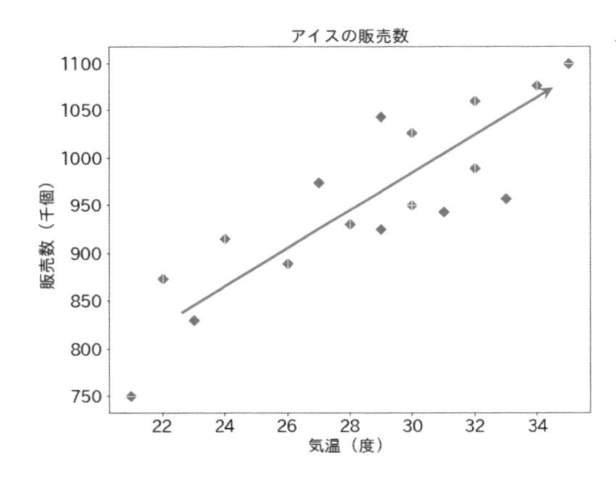

気温が高くなると
アイスが売れる

相関係数＝2変数の
関係を示す指標

相関係数が1に近づく
＝横軸の値が増加すると
縦軸の値が増加する

相関係数が-1に近づく
＝横軸の値が増加すると
縦軸の値が減少する

図4.4　散布図・相関関係

そうすると、X軸（横軸）のところが気温になって縦のところが販売数というような形になります。例えば気温が23度ぐらいのところだと830個ぐらい売れているといったことがわかったり、26度のときには890個ぐらい、そういうような販売数になっているということです。こういったことを1個1個、点をプロットしていくといったものです。これが散布図と呼ばれているものです。

この「気温が高くなるとアイスが売れる」みたいな関係性を求められるようになってくるんですけども、二変数の関係を示す指標のことを（④　　　　　　　　　　）と呼んでいます。相関係数というのは－1から1になると決まっていて、相関係数が1に近づいていく、つまり横軸の値が増加すると縦軸の値が増加するということに確実になっていき、相関係数が－1に近づく、つまり横軸が増加すると縦軸の値が減っていくということに確実になっているということで、よく相関係数というものが求められます。この辺りもExcelだとかPythonとかでも簡単に求めることができますのでぜひまたチェックしてください。

4-5

時系列データの表し方

表し方としてもう一つは時系列のデータという場合がありますけれども、時系列のデータの場合というのは、いわゆる時間のところが関わってきます。例えば量的データだとか質的データとはちょっと区別されるというような形になってきますね。

図4.5は私の活動量計のデータです。

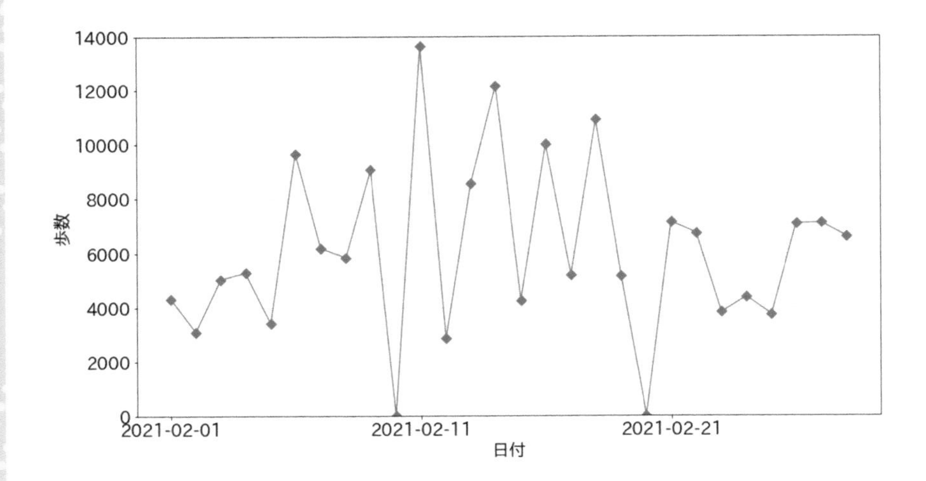

図4.5　折れ線グラフ

2021年2月11日とか歩数が0になっているところが気になるところですけれども（全く活動していなかったのかと思われるかもしれませんが…）、これは活動量計のデータです。最近活動量計のデータとかもこうやって外部に出力することができていろいろと面白いことができるんですが、全体的にこの2021年2月は上向いてるかなとか何か傾向がわかったりしていくかなと思いますけれども、こういうふうに時間が含まれているデータに関しては連続的な変化というのが大切になってきますので、こういうところでは折れ線グラフを使った方がいいとなります。

では、4章のまとめです。可視化の意味を知りましょうということで、“綺麗なグラフ”では意味がないです。何が伝えたいのかというのが理解できないと可視化の意味がありませんので、グラフにあんまりこだわらないようにしてほしいと思うんですね。“綺麗なグラフ”というのはあまり必要ではない、と。（⑤　　　　　　　　　　）がポイントになってきます。

また、適切な可視化の方法を選択することでデータが見やすくなります。量的なデータだとか質的なデータだとか時系列のデータというようにデータの種類によってグラフが変わってくるので、よく伝わるグラフを選択することを意識していただければと思います。

業務で報告書とか書いている方とかいらっしゃらないですか？本書を読んでいただいたらちょっと意識しようかなというふうにチェックしていただければと思いますね。

また、Excelとか Pythonというプログラミング言語を使ってあげると実際にグラフを描くことできますし、いろいろと加工することもできますので、ぜひチャレンジしていただきたいと思います。

第4章の振り返り

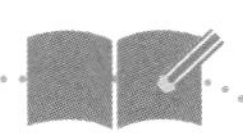

可視化の意味を知りましょう

“綺麗なグラフ”では、意味がないのです。何が伝えたいか、
それが理解できないと、可視化の意味がありません。

**適切な可視化の方法を選択することで、
データが見やすくなります**

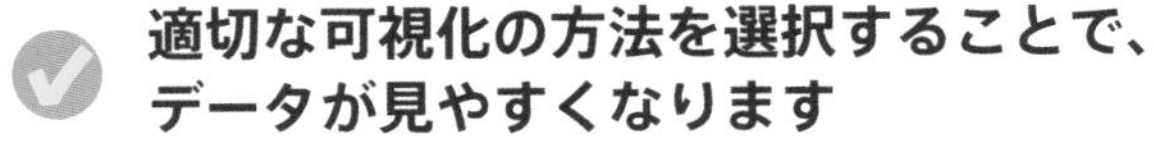

量的データ、質的データ、時系列データなどによって、
主に使うグラフが異なります。
ExcelやPythonなどで実際にグラフを描いてみましょう。

Data Science

第5章 データの活用

それでは5章「データの活用」を解説していきます。

ここでは代表的な分析手法として回帰だとかクラスタリングの概要を理解していきましょう。ちょっと難しいなと感じるところもあるかもしれませんが、データサイエンスの中でも登竜門的なところになってきますので、まずはここで概要とか考え方を掴んでいただければと思います。それを掴むだけでもだいぶ楽になるかなと思いますね。

POINT

▶ **代表的な分析手法「回帰」「クラスタリング」の概要を理解しましょう**

データを活用しよう！

5-1

回帰分析

まずは回帰分析ですけれども、過去の実績から未知の値・未来の値を予測することを回帰というふうに呼んでいます。そもそもこの回帰という言葉は覚えていただかないといけません。

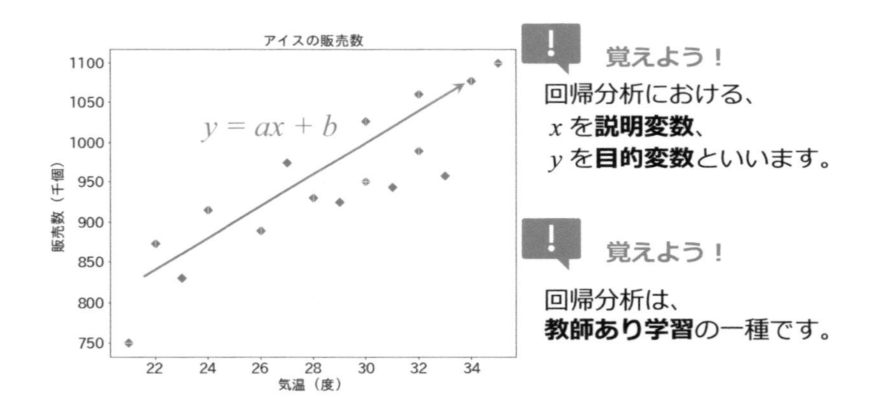

図5.1　回帰分析

例えば、気温をxとする横軸、アイスの販売数を縦軸のyとします。つまり、気温が何度になったときアイスが何個売れるかと予測したいというようなことなんですね。そうすると$y = ax+b$みたいな数式でおくことができます。aがいわゆる「傾き」になっていて、bはy「切片」というy軸と交わるところで、$y = ax+b$ という数式になります。

例えばaの値（傾き）が大きくなると当然ながら図上の線の傾きが上向きになっていきますし、a が少なくなってくると低くなっていくというようになりますね。

そういうような形で、例えば気温が上がるとアイスの販売数が高くなるというような式を1個の数式でおくことが結構よくあることなんです。これを回帰と呼んでいて、回帰分析におけるxを説明変数と呼んでいて、yのことを目的変数と呼んでいます。この説明変数だとか目的変数という言葉もよく出てくるので、チェックしておいてください。

回帰分析というのはいろんなデータ分析をするところではオーソドックスなやり方で、「教師あり学習」の一種として位置づけられています。

この教師あり学習というのは、多量なデータをいろいろプログラムに覚えさせて、そこから結果を出していくというようなものなんですけれども、「このデータにはこういう正解のデータがついてるよ」といったものをセットにしていきます。例えば「この気温にはこの販売数だよ」ということをセットで覚えさせていくパターンですね。こういったことを教師あり学習というふうに呼んでいきます。この教師あり学習の一種が回帰分析ということになります。

この回帰分析の中には様々なものがありますけれども、説明変数が一つの場合のことを単回帰分析と呼んでいます。例えば図5.2に、懸垂回数が何回あるとどのように体重が変化するかというのを予測しましょうといったような表があります。そうすると懸垂の回数が（①　　　　　　　　）変数になって、体重が（②　　　　　　　　　　）変数となります。（表は海外のサンプルデータなのでポンドで表されています。）

懸垂回数	体重(ポンド)
5	191
2	189
12	193
12	162
…	…
2	138

Pythonでは、数行入力するだけで回帰の数式を求めることができます。

```
from sklearn.linear_model import LinearRegression
clf = LinearRegression()
X = data.loc[:,['Chins']].values
y = target.loc[:,['Weight']].values
clf.fit(X, y)
print(clf.coef_)        # 回帰係数（傾き）
print(clf.intercept_)   # 切片

[[-1.82013372]]
[195.80026368]
```

およそ $y = -1.82x + 195.8$ となります。
1 回懸垂ができるごとに体重が減少します。

図 5.2　単回帰分析

Python でプログラミングした結果が図 5.2 にあるプログラムなんですけれども、数行入力するだけで簡単にこの回帰の数式を求めることができます。

回帰係数の傾きのところがaで切片のところがbというような形になって、ここからおおよそですけれども、$y=-1.82x+195.8$ということ、1回懸垂ができると体重が減少するということがわかるというような形になりますね。

こういうような一つの説明変数から求められることを（③　　　　　　　　　　）分析と呼んでいます。

それでは、説明変数が二つ以上の場合を考えていきましょう。これを重回帰分析と呼んでいます。

説明変数が二つ以上ということは、懸垂だとか腹筋だとか跳躍の回数、この三つが重なるとどういうふうに体重が変化するか、こういうような予測をしたいというようなときにこの重回帰分析というのを使っていきます。

懸垂回数	腹筋回数	跳躍回数	体重(ポンド)
5	162	60	191
2	110	60	189
12	101	101	193
12	105	37	162
…	…	…	…
2	110	43	138

体重 = -0.475026×懸垂回数 - 0.217716×腹筋回数
+ 0.093088×跳躍回数 + 208.23351881 と分かりました。

図5.3　重回帰分析

重回帰分析のPythonのプログラムが図5.3の例なんですけども、非常にプログラミングとしてシンプルでExcelでもできないことはないんですが、Pythonの方がここはちょっと早いかなという感じがあります。

そうすると、ここで係数を求めていくと、おおよそですが体重＝-0.47 ×懸垂回数 - 0.21 ×腹筋回数＋ 0.09 ×跳躍回数という形になります。Pythonでこのデータを解析させると、「跳躍の回数が多いと体重が増える」と、そういう結果が求まったわけですね。

懸垂だとか腹筋に関しては回数が増えると体重の減少が見込めるけれども、跳躍に関しては増えるという、ちょっと面白い結果が出たという形になります。このように いろんな説明変数が複数あったときの関係を求めていくといったところが、（④　　　　　　　）分析と呼ばれるものになります。

5-2

クラスタリング

最後の分析のところは、クラスタリングです。

先ほどまでの単回帰分析だとか重回帰分析というのは、例えば懸垂の回数だとか跳躍だとかこれに対する体重というようなものがもうわかっている状態ですね。わかっている状態だから、教師あり学習というような部類になるわけです。実際にデータ分析をさせるときにも、そういうような回数と体重というのを教えてあげることによってデータが分析されているんですが、最後に紹介するクラスタリングというのは、そういう「答え」がないんですよ。答えがなくてグループに分ける。

なので例えば実際にこれをプログラミングするときには、データをとにかく投入はするんだけれども、このデータを例えば三つに分けてくださいだとか、四つに分けてくださいという指示だけするんです。そうすると、あなたは1組、あなたは2組、あなたは3組という形で、勝手にラベルが貼られていくというような状態になる。これがクラスタリングというふうに呼ばれているんです。

こういう観点の、正解のデータがないといったところが「(⑤　　　　　　　　　)学習」と呼ばれているものです。

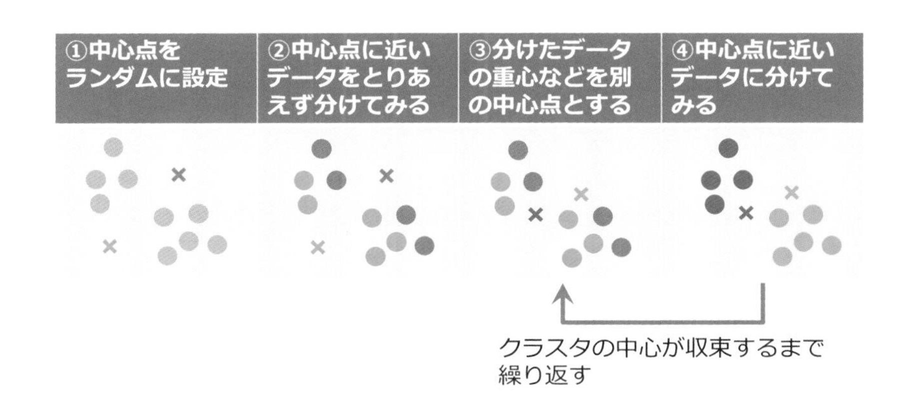

図5.4　クラスタリングの概要と目的

図5.4のように、例えば最初は中心点をランダムに設定してそこからとりあえず分けてみて、重心とかのいろんなデータを踏まえてまた別の中心点を探して、さらにまた中心点に近いデータに分けてみるといったようなことを繰り返していくことで、クラスタリングができあがっていきます。

これはすごく簡単な状況・簡単なアルゴリズムのような説明になっていますが、実際にはプログラミングでクラスタリングをやることができますので、ぜひ興味がある方はPythonとかを勉強してもらえればと思います。

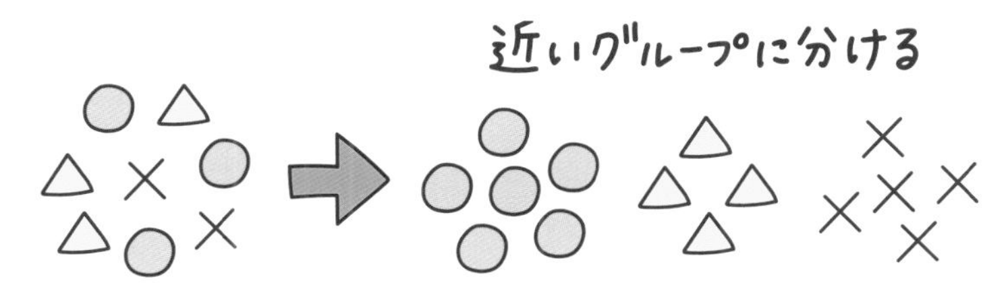

この章の振り返りです。代表的な分析手法、回帰だとかクラスタリングの概要について説明をしてきました。回帰分析は何のためにやるんですか？これは未知の値を予測するため、ということですね。

$y=ax+b$ というような形のときには x を説明変数、y を目的変数と呼んでいます。これは結構いろんな書籍とかを読むと出てくるので、覚えておいてくださいね。

あとは単回帰だとか重回帰。説明変数が1個の場合と2個以上の場合とで呼び方が変わっていきます。

また、クラスタリングというのはデータの（⑥　　　　　　　　）を計算して、データをグループに分けることをクラスタリングと呼んでいます。様々な分析手法がありますのでチェックしておいてください。

第5章の振り返り

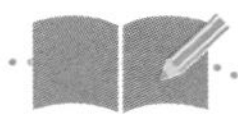

代表的な分析手法「回帰」「クラスタリング」の概要を理解しましょう

- **回帰分析**…未知の値を予測すること。
  x が**説明変数**、y が**目的変数**
  - **単回帰**：説明変数が1つの場合
  - **重回帰**：説明変数が2つ以上の場合
- **クラスタリング**…
  データ間の類似性を計算し、データをグループに分ける。

Data Science

第6章

データを制する者がDXを制す

それでは6章「データを制する者がDXを制す」というところを解説していきます。

ここではAIやビッグデータ、データサイエンスの関係を理解してください。

データリテラシー、データを扱うときのスキルですね。これは専門家だけではありません。もう今皆さんでも必要です。大事なスキルになってきますのでしっかりとチェックしてください。

POINT

- AI やビッグデータと、データサイエンスの関係を理解しましょう
- データリテラシーは、専門家だけに必要なスキルではなく 皆さんにも大切なスキルになります

DS
ビッグデータ
AI
データ

6-1

AIとデータサイエンス

まずちょっとAIについて触れていきたいと思います。AIというような略称で表現されていますけれども、日本語だと人工知能と呼ばれているものです。AIについては別の講座の方でもあるかと思いますけれども、「人間の知能そのものをコンピュータで再現する仕組み」というふうに本書では定義をしておきます。あくまでも人間のように振る舞うシステムというようなことですね、これがここでのAIということです。

それで、AIのシステムを作るためにはどうすれば良いかというと、AIはすごく幅広い定義があって、例えば統計とか確率の分野もAIだというふうに言うジャンルもあるし、あとは機械学習というような分野もあったり、あとはディープラーニングという分野もあったりするんですけれども、機械学習だとかディープラーニングのところで共通してくるのは、(①　　　　　　　　　　)を分析するといったところがポイントとなります。

「あれ？今までやってきたデータサイエンスの要素っていうのも、データを扱っていくんじゃないの？」というふうに思われたと思いますが、まさにその通りで、データサイエンスはあくまでも最終的には人の視点で「このデータはこうじゃないか」といったことを見極めていくというところがデータサイエンスですね。例えば、AIとはどういうところが違うかというと、機械だとかいわゆるプログラムのアルゴリズム、プログラムの仕組み自体が（② ）に判断するところが違っているということです。

なので図6.1に「分析結果の正確性」と書いてありますけれども、データサイエンスではデータサイエンティストの（③ ）によって分析結果が変わるということがあり得るんですが、AIというのは人工知能と言っていますけど所詮プログラムですから、何回やっても同じ結果が出るということが違うところとなります。

MEMO

■ **AIとは**

- AIは、Artificial Intelligence の略で日本語だと人工知能です。
- AIは「**人間の知能そのものをコンピュータで再現する仕組み**」と考えることができます。

■ **誰が分析するか**

- 大量のデータを分析するという観点では同じです。
- **データサイエンスは、人の視点**によって分析が行われます。
- **AIは、機械(アルゴリズム)が自動的に分析**します。

■ **分析結果の正確性**

- データサイエンスでは、データサイエンティストの経験で分析結果が変わる可能性があります。
- AIは、何万回も同じ行動ができる正確性があります。

図6.1　AIは、誰が分析するのか

6-2

ビッグデータとデータサイエンス

さらに最近では大量のデータをたくさん扱うことができるようになってきました。ビッグデータと呼ばれています。ビッグデータという言葉は多分聞いたことがある人も多いかなと思いますけれども、その存在が何者なのかというのは、ビッグデータを説明してくださいと言ったら「何か大量なデータですよね？」というぐらいで終わってしまう人が多いかなと思うんですけども、皆さんいかがですか？

もちろん大量のデータということには間違いないんですけれど、その大量というのもその軸が結構人によってばらつきがあって、ちょっと面白いレベルになってるぐらいですね。例えば3千件ぐらいとか1万件ぐらいでもビッグデータだろうと言う人も出てきちゃってるレベルですよね。

ビッグデータというと、1000テラバイト（1ペタバイト）と図6.2に書いてありますけれども、それぐらいの規模感ですから、到底何千件のレベルではビッグデータと言うのはどうかなということなんですね。

さらにデータの規模だけではなくて、データの種類だとか頻度が多いといったような条件が揃うと、ビッグデータというふうに呼んでいいというようなレベル感です。

最近だったら例えば交通の混み具合なんかありますよね、携帯電話の位置情報でどれぐらいそこのエリアに人がいるのかという、あれぐらいの規模になってくるとさすがにビッグデータかなというところではありますね。

こういうようなビッグデータを分析していろんな課題の（④　　　　　　　　　）というのを引き出していく。その中からビジネス上の意思決定に必要なものを出していく。これが重要視されてきたということになります。

ビッグデータは、**1000テラバイト(1ペタバイト)ぐらいは持っている**と考えてください。
またデータの**規模だけではなく、データの種類や頻度が多い**といった条件が揃うとビッグデータと呼ばれます。
このビッグデータを分析し、課題解決に必要な知見を引き出し、ビジネス上の意思決定を促すことが重要視されてきました。

なぜ、ビッグデータの活用が進んだの？

- 大規模な過去データの分析、現在の分析を行うことで、未来への予測へ繋げたいと思う人が増えたから。
- レコメンド機能など新しい価値、サービスに活用するようになってきたから。

図6.2　ビッグデータの活用

特に、ビッグデータの活用が進んだというところですけれども、これは現在進行形だけじゃなくて、大規模な過去のデータの分析というのも大切になってきますし、現在の分析というのももちろん必要ということになるんですね。

その中から未来に繋げていきたい、未来の予測をしていきたいという人が増えてきたのでビッグデータの活用というのは進んできたと言われています。

最近では、たとえば商品の購入でのおすすめ商品(レコメンド機能)、こういう新しい価値だとかサービスといったところにも活用するようになってきました。

6-3

業界で求められているデータリテラシー

データリテラシーの存在というのは非常に重要です。データリテラシーとは、データの内容を理解して活用するデータを選び、その結果を(⑤　　　　　　　　　　)能力といったところです。

いわゆる情報の利活用というところが和訳になると思いますけど、見たデータが本当に正しいデータかどうかというのはわからないですよね。なのでいろんな他の検証、他のデータも合わせてチェックをするだとか、本当にそのデータの見方がいいのかどうかということを確認することが必要になってきます。

環境に関してはもう今揃っているわけですよ。例えばクラウドが普及したりだとか、5Gのような高速通信ができたりだとかビッグデータを活用するだとかいろんな環境は整ってきたので、もうデータをどうやって扱って実務に役立てていくかというようなフェーズになってきています。

■ **データリテラシーとは**

- データの内容を理解し、活用するデータを選び、その結果を正しく解釈する能力

環境はすでに揃っている！！

クラウドの普及　5Gなど高速通信　ビッグデータの活用

データサイエンスは専門家だけの仕事ではない

- 個々のポジションによって、データの目的が異なります。
- それゆえ、個々がデータリテラシー、データサイエンスの知識を身につける必要があります。
- 根拠なき数字は意味なし！数字を意識して仕事しましょう！

図6.3　業界で求められるデータリテラシー

データサイエンスというのは、(皆さん最初の方の解説を覚えていますか？)、統計の話じゃなくて物の見方だとか、あとは問題解決に役立てていくというのがデータサイエンスなんですよ。なので専門家だけの仕事じゃないんですね。皆さんでもデータサイエンスというのが必要になってくるんです。個々のポジションによってデータの目的というのは異なるわけで、個々がデータのリテラシーだとかデータサイエンスの知識を身につける必要があります。

皆さんどこからやりますか？グラフ描くところ？

いや、そうじゃないですよ。例えばよく業務とかでも報告するときに数字で語ってくれなきゃ駄目だよと言われます。何か案件があるとして、案件が「大体できました」ではなくて何％できた、その何％というのはどういう根拠があって何％できたと言えているの？と。根拠なき数字は意味なしと言っていますが、その数字が何で求められたのかというようなところ、数字を意識して仕事するということが大切になってきます。

おそらくデータサイエンスは初めてだよという人も勿論多いと思いますので、皆さんの仕事の中で数字をちょっと意識してやってみるというところからでも第一歩かなというふうに思います。もちろんグラフとか描くことがあれば、よく伝わるようなグラフにするためにはどうしたらいいかと考えていただくと良いかなと思いますね。

報告書
売り上げ
123456
資料
プレゼン
数字を意識しよう!

最後6章の振り返りですけれども、AIやビッグデータとデータサイエンスの関係です。データサイエンスではデータサイエンティストの経験が影響するところになってきます。また、ビッグデータの活用が急務になっています。

よく会社の中でも「そんなデータはない」というふうな話がありますけれども、そんなデータはないと言う会社さんのところには「勤怠のデータぐらいあるでしょう？勤怠データぐらいはあって例えば勤務開始・勤務終了のデータぐらいあるでしょう？そのデータを測ったり、あとは例えば今日は快適に過ごせた・快適に過ごせていないということをチェックするだけでも面白い分析ができると思いますよ」なんていうような話をしています。ビッグデータという言葉にとらわれずに、ぜひデータを探してみてください。

また、データリテラシーは専門家だけのスキルではなくて皆さんにも大切なスキルになってきます。いろんなポジション、皆さんのお立場によって目的だとかは変わってくるしやり方というのも変わってくるでしょう。なのでそれぞれが今データリテラシーだとかデータサイエンスの知識を持つことが重要です。ぜひ他の科目も積極的に学習していただいて、まずはやってみましょう。実践していただくと、効果があったという形になると思います。

第6章の振り返り

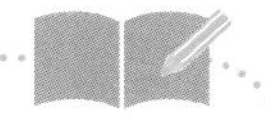

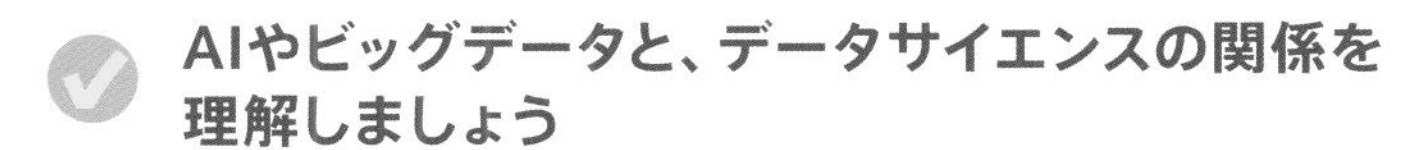

AIやビッグデータと、データサイエンスの関係を理解しましょう

データサイエンスでは、データサイエンティストの経験が影響します。また、ビッグデータの活用は急務になっています。

データリテラシーは、専門家だけに必要なスキルではなく 皆さんにも大切なスキルになります

個々のポジションによって、データの目的が変わるので、個々のデータリテラシー、データサイエンスの知識が重要。他の科目も積極的に学習して、実践に役立ててください。

ワークシート

これまでの学習を踏まえた上であなたが所属する会社などに置き換えて、データサイエンスについて考えてみましょう！

①あなたの身近なところではどのようなデータがありますか？

②あなたの業界や社会の中で、分析することで価値を生み出せそうなデータはありますか？

③あなたの会社などの製品・サービスの中で、データサイエンスを活用することによって、新たな製品・サービスを創生できるようなモノ・コトはありますか？

④あなたは、部署の責任者に選ばれました。役職者として、データサイエンスのスキルをどのように役立てますか？

⑤あなたは、新入社員の教育担当者に選ばれました。担当者として、データサイエンスについて何をどのように教えますか？

Answer

解答

Chapter 01 データサイエンスのこと知っていますか？〔解答〕

① IoT

② 捏造

③ 新たに価値を発見

④ 解決したい課題に向き合う力

⑤ クラウド

Chapter 02 データの見方〔解答〕

① データの見方

② 分散

③ 問題解決

④ 常識にとらわれずに見方を変えていく

⑤ 何のための統計値なのか知る

Chapter 03 データの種類〔解答〕

① 変数

② 量的変数

③ 質的変数

④ バイナリデータ

⑤ 構造化

⑥ 変換

Chapter 04 データの可視化〔解答〕

①パレート図

② 連続

③ 散布図

④ 相関係数

⑤ 何が伝えたいか

Chapter 05 データの活用〔解答〕

① 説明

② 目的

③ 単回帰

④ 重回帰

⑤ 教師なし

⑤ 類似性

Chapter 06 データを制する者がDXを制す〔解答〕

① 大量のデータ

② 自動的

③ 経験

④ 解決に必要な知見

⑤正しく解釈する

index

索引

索引

あ

異常値……52

AI……84

か

回帰分析……72

教師あり学習……74

教師なし学習……78

業務の見える化……59

クラスタリング……78

欠損値……52

構造化データ……47

さ

散布図……65

質的データ……44

質的変数……44

重回帰分析……76

人工知能……84

説明変数……73

相関係数……65

た

単回帰分析……74

データエンジニアリング力……20

データサイエンス……16

データサイエンス力……20

データリテラシー……90

テキストデータ……46

度数分布表……61

ドリュー・コンウェイのベン図……16

は

バイナリデータ…… 46
外れ値…… 51
パレート図…… 59
半構造化データ…… 48
非構造化データ…… 47
ビジネス力…… 20
ヒストグラム…… 60
ビッグデータ…… 87
分散…… 30

ま

メタデータ…… 48
目的変数…… 73

ら

量的データ…… 44
量的変数…… 44

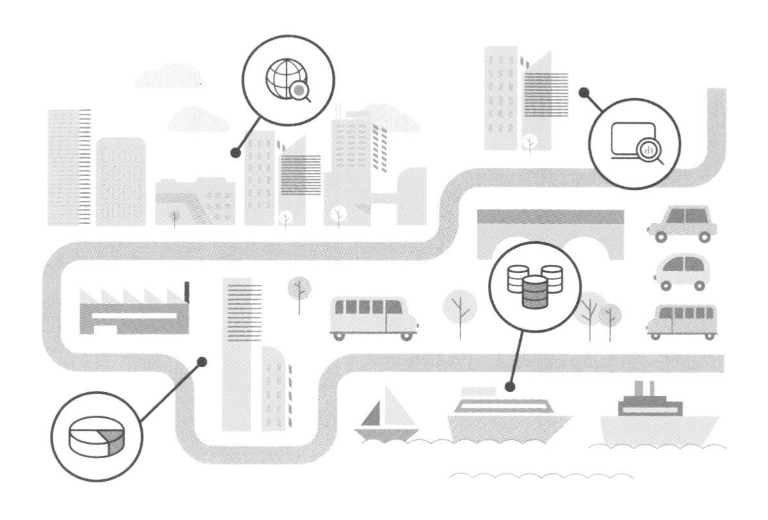

【著者略歴】

阿部晋也

情報処理安全確保支援士
Microsoft Certified Trainer
Microsoft Certified DevOps Engineer Expert
リクルート系印刷会社でDTPオペレーター、システム開発会社でWebアプリケーション制作を経験し、独立。プロジェクトチームでの開発受託を開始、物流・通信など幅広いSE業務に従事。開発経験を活かし、愛知工業大学経営学部非常勤講師や専門学校非常勤講師に従事。現在はDX関連として、マネジメント、RPAやPythonなどの業務効率化、人工知能(AI)、クラウドなどの法人研修講師、教材執筆、システム開発などマルチに活躍。
著書「これって個人情報なの?意外と知らない実務の疑問(共著,税務研究会)」「ゼロから学ぶAI入門講座(コガク)」「ゼロから学ぶアジャイル入門講座(コガク)」等。

ゼロから学ぶデータサイエンス入門講座

2023年4月30日　初版発行

著者　阿部 晋也
発行者　伊藤 均
発行所・編者　株式会社 コガク
〒160-0007 東京都新宿区荒木町23-15
アケボノ大鉄ビル2階
TEL:03-5362-5164 FAX:03-5362-5165
URL:https://www.cogaku.co.jp
発行所・販売元　とおとうみ出版
〒432-8051 静岡県浜松市南区若林町888-122
TEL:053-415-1013 FAX:053-415-1015
URL:https://www.tootoumi.com
イラスト　IDEARNEST株式会社　黒野 裕巳佳
印刷・製本所　東海電子印刷株式会社
本書は丈夫で開きの良い「PUR製本」です。

tootoumi.com

ISBN 978-4-910754-08-6
Printed in Japan

BC04-T